# LES COPAINS DU COIN

# LA BOÎTE
# DES COPAINS

**Larry Dane Brimner • Illustrations de Christine Tripp**
Texte français d'Hélène Pilotto

Éditions
**SCHOLASTIC**

P9-CSB-646

À Rosalie Heacock, pour sa confiance
— L.D.B.

À mon fils Eric
— C.T.

Catalogage avant publication de Bibliothèque
et Archives Canada

Brimner, Larry Dane
La boîte des copains / Larry Dane Brimner; illustrations de
Christine Tripp; texte français d'Hélène Pilotto.

(Les Copains du coin)
Traduction de : The Big, Beautiful, Brown Box.
Pour les 4-8 ans.
ISBN 0-439-95825-3

I. Tripp, Christine  II. Pilotto, Hélène  III. Titre.
IV. Collection: Brimner, Larry Dane  Copains du coin.

PZ23.B7595Bo 2005     j813'.54     C2004-906753-2

Édition publiée par les Éditions Scholastic, 175 Hillmount Road, Markham (Ontario) L6C 1Z7.

5  4  3  2  1     Imprimé au Canada     05  06  07  08

Un livre sur

# la communication

JP regarde par la fenêtre
de sa chambre.
Il aperçoit une belle
grosse boîte de carton
sur le terrain vague,
de l'autre côté de la rue.

— Super! s'exclame-t-il.
La boîte parfaite pour
faire un fort.

Il s'élance dans le couloir.

— Jean-Pierre Juteau!
crie son père.

JP s'arrête.

Il jette un coup d'œil derrière lui.

— On ne court pas dans la maison, dit son père. As-tu oublié ce bon vieux règlement?

— Désolé, répond JP.

Il marche vers la porte
aussi vite qu'il le peut.

Quand il arrive au terrain vague,
JP y trouve ses amis Gaby et Alex.

Ils se surnomment les Copains du coin.

13

— Cette boîte va faire un super fort, lance JP.

Il attrape un côté de la boîte.

— Ce sera une voiture de course, réplique Gaby.

Elle saisit un autre côté de la boîte.

— Mais non, dit Alex. Ce sera
un bateau de pirates.

Il agrippe à son tour un côté
de la boîte et tire dessus.

Voilà les trois amis qui crient et
se disputent la boîte.

Tout à coup, JP entend un bruit.

— Arrêtez! crie-t-il de toutes ses forces.
Nous sommes en train de la déchirer!

19

La dispute cesse aussitôt.

— J'ai un plan, annonce JP. Pensons chacun à deux choses que nous pourrions faire avec cette grosse boîte. Commence, Gaby.

— Nous pourrions en faire une voiture de course, répond Gaby. Nous pourrions aussi en faire notre cabane.

— Nous pourrions en faire un bateau de pirates, répond Alex. Mais Gaby a raison. Il y a longtemps que nous rêvons d'une cabane.

23

— C'est ce que je pensais, dit JP.
Cette boîte ferait un beau fort,
mais elle ferait une cabane encore
plus belle.

JP monte la garde près de la boîte
pendant que Gaby et Alex vont
chercher du matériel.

Puis ils se mettent au travail.

Ils fabriquent un drapeau.
Ils installent une porte.
La mère d'Alex les aide
à faire une fenêtre.

L'après-midi, les Copains du coin contemplent leur œuvre.

— C'est la plus chouette des cabanes, lancent-ils en chœur.

Ils y tiennent aussitôt leur première réunion.

## Titres de la collection

# LES COPAINS DU COIN